Termina el dibujo colocando cada pieza en su lugar.

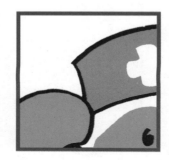

Completa los nombres de los animales y ordena el nombre del animal de abajo.

Jirafa

León

Mono

Hipopótamo

te   no   ri   ron   ce

1   2   3   4   5

Suma con los dedos y pon el número correcto en la casilla.

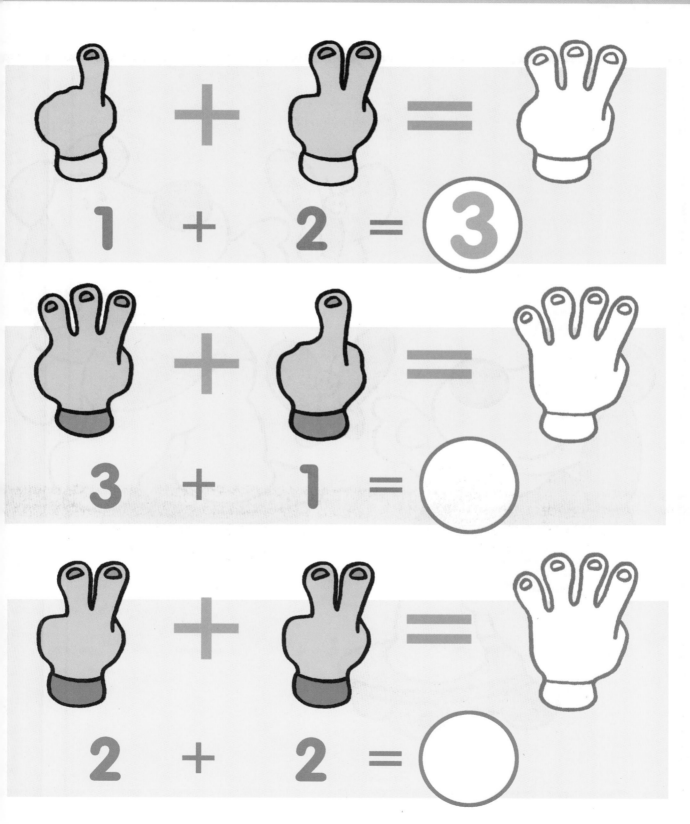

1 + 2 = ③

3 + 1 = ◯

2 + 2 = ◯

co e o

con

e efa te

ele

jau a

ja

m le a

ma

Suma y resta los coches y pon las cifras en las casillas correspondientes.

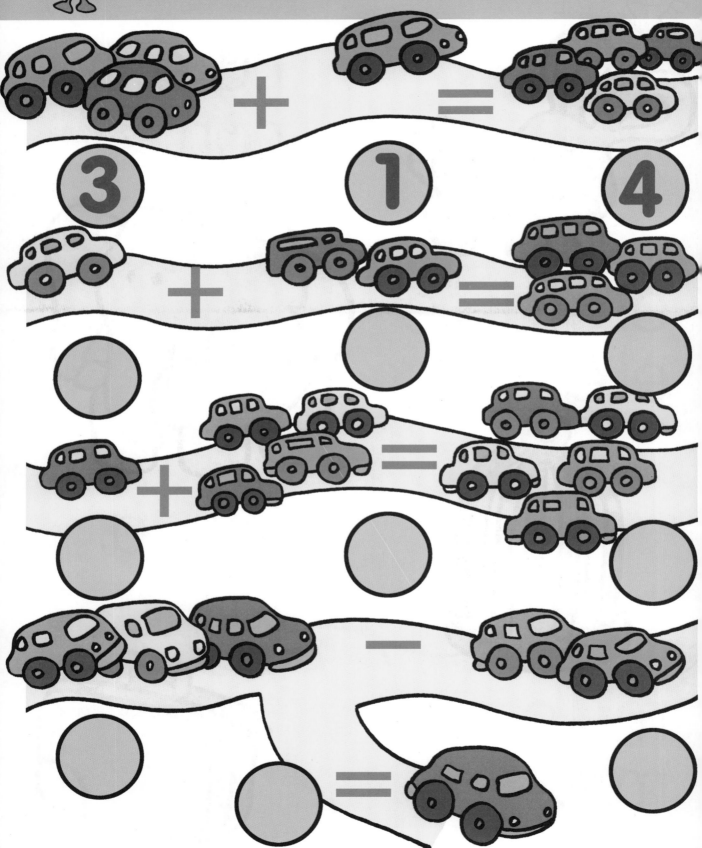

Cuenta cuántos huevos hay de cada color y escribe su número en la casilla.

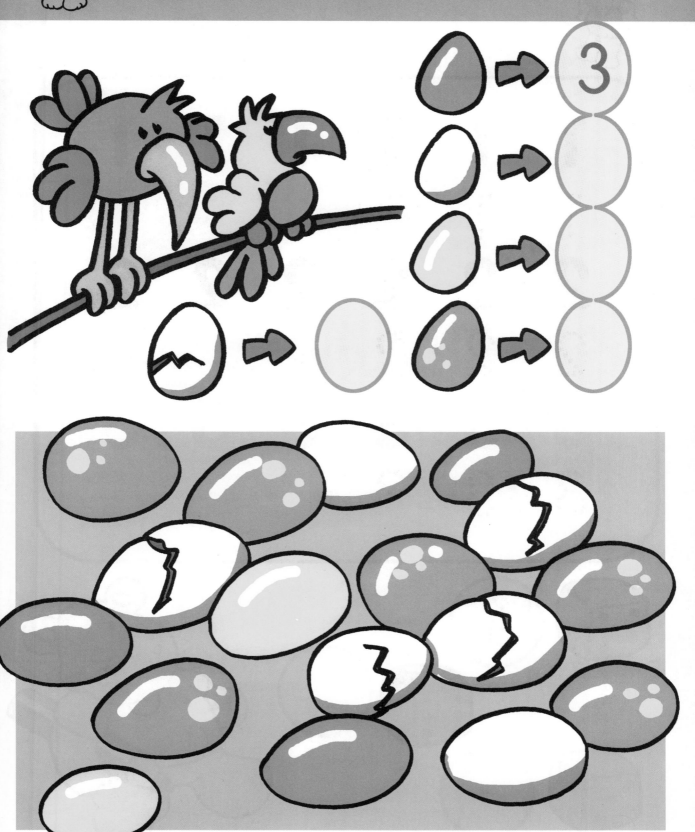

Repite las cifras 1, 2 y 3 y pon cuantos puntos tiene cada dado.

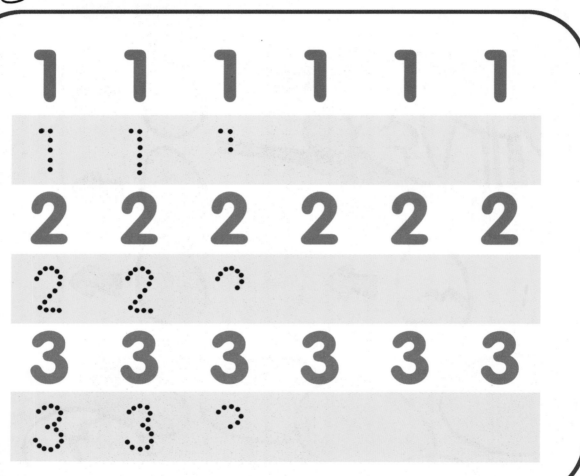

1 1 1 1 1 1

1 1 1

2 2 2 2 2 2

2 2 2

3 3 3 3 3 3

3 3 3

Haz lo mismo con 4, 5 y 6 y también con los dados.

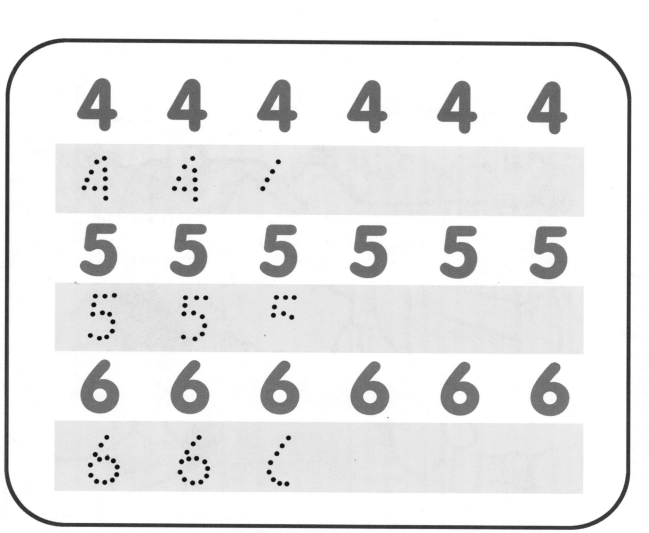

4 4 4 4 4 4

5 5 5 5 5 5

6 6 6 6 6 6

Cuenta los objetos que indica cada muestra y luego colorea el resto.

8

oja

nter

co ejo

arra

oli o

iosco

Completa el dibujo y pon todo lo que falta.

a e i o u

a